『バレエ その限りない可能性』について

日本ワガノワバレエ協会代表理事
アンドレイ・オルロフ

若い読者がバレエの世界の全体を知ろうとするときに、この『バレエ その限りない可能性』は、彼らに最もバレエを分かりやすく説明し、バレエへのさらなる興味を感じさせて、そして創造的インスピレーションを与えてくれる本の一つです。本書は、あこがれのバレエの道に入ったばかりの子供たちと、すでにダンスへの情熱を持っていて、もっとダンスの知識を深く掘り下げたいと思っている人、の両方にとって理想的です。

子供向けのバレエガイドブックを作るのは簡単な作業ではありません。著者は、複雑なバレエ芸術の概念や理論を子供の理解レベルに適応させる必要があります。『バレエ その限りない可能性』は、これを見事に行っています。物語は、バレエ誕生の背景から現代に至るまでのバレエの歴史の説明から始まります。

本書は、舞台美術、衣装、脚本、音楽など、バレエ公演の重要な側面を取り上げるだけでなく、舞台裏の様子も伝えて、バレエ公演の裏側の世界を読者に明らかにします。このことは、舞台でのキャリアを夢見ていて、バレエ公演制作のあらゆる側面を理解したい人にとって特に重要です。

本書は、分りやすく、親しみやすい本なので、読者は学習プロセスを楽しみながら、能率よく内容を理解することが出来ます。保護者や教師にとっては、子どもたちにバレエ学習へのモチベーションを持たせ、さらに高める効果を期待することが出来ます。子どもの脳は、将来役立つ知識を集めた宝箱のようなものです。この情報の価値と質によって、子供がどのような性格や能力を持つ人に成長するかが決まります。

『バレエ その限りない可能性』はバレエを愛するすべての若い人々にとって素晴らしいリソースです。この本は、バレエのキャリアの最初の一歩を踏み出そうとしている人々にも、また単にバレエについてもっと学びたいと思っている人々にも、美しいバレエ芸術を習得するために、なくてはならないサポートとなるでしょう。

最後に、私は、この本のロシア語から日本語への翻訳者である柴田さんとミロノワさんに深い敬意と感謝の意を表します。本書が、若い世代の人々が、バレエへの愛を深め、そしてバレエへのインスピレーションを高めることにつながることを願っています。

バレエ

その限りない可能性

あなたの道しるべ

展望社

親愛なる友人

あなたの前に、バレエの本があります。この本であなたが知るのは：

- 世界にはバレエを踊る王と王妃がいました
- お化けが出てくるバレエがあります
- バレエダンスは人だけでなく馬も踊りました
- 音楽演奏者は穴倉にいます

また、フランス語を少し分かるようになります。そしてもちろん、なぜバレエ芸術がとてもエレガントで、たくさんの人々に愛されているかも理解します。

読んだり、絵を見たり、バレエの動きを試したり、空想にふけったりしてください。きっと、いつかあなたは素晴らしいダンサーになるでしょう。そして、私たちは "あなたの鼻が高くなる" 前に、あなたと話し合う時間があったことを誇りに思います！

尊敬を込めて、

本の制作者より

始めに

バレエの 四つの作り話

1. バレエダンサーは小食です

真実ではありません： ダンサーはレッスンとリハーサルをたくさん行っています。そのためには、多くのエネルギーが必要です。バレリーナの中には食いしん坊もいます！

3. すべてのバレリーナはチュチュを着ます

これも違います： バレリーナの中にはロマンティックチュチュで踊る人もいます。レオタードの人、風変わりな衣装の人もいます。それはすべて作品の制作時期、演出のスタイル、作品のテーマによって決まります。

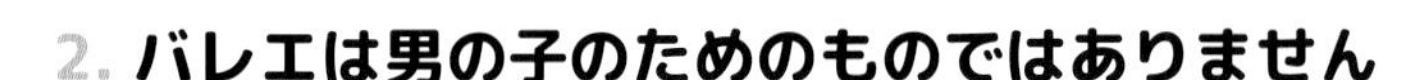

2. バレエは男の子のためのものではありません

これは違います： 男性がいないバレエは考えられません。とても多くの素晴らしい男性の一団がいます！バレエのスターの中には男性がたくさんいます：ミハイル・バリシニコフ、ルドルフ・ヌレエフ、ファルフ・ルジマトフ、ニコライ・ツィスカリーゼ、その他の多くの人々。

4. 子供たちはバレエの演技にすぐ飽きてしまいます

実際には、 多くの子供たちはバレエが大好きです。そして公演を見に連れて行って欲しい、と親にせがんでいます。

ダンスの
歴史

バレエの
起源

世界中の人々は古代から踊ることが大好きでした。

洞窟に住んでいた原始の人々の多くが、焚き火の周りで踊りました。彼らとその子孫たちは踊りをする習慣をやめることはありませんでした。世界には、民族の数と同じ数の民族舞踊があります。

古代のユダヤ人の踊りについて、私たちは聖書から知ることが出来ます。綺麗だけれども悪賢いダンサー、サロメについての伝説があります。彼女は踊りでヘロデ・アンティパス王を魔法で魅惑しました。

古代エジプトの踊り手が神々を崇拝する踊りを演じています。

ここでは古代ローマの戦士達の戦いの踊りが描かれています。ローマ人は戦うことが大好きでしたから、彼らの踊りの多くは戦いを表現しています。ですから、軍神マルスに捧げられた踊りはこんな風に見えたかもしれません。

また、たとえば、インドのバヤデール（舞姫）の巫女たちもいます。彼女たちは良い教育を受けるために、幼いころから寺院に預けられました。バヤデールは、透明感のある軽い生地で作られた洋服や宝石をたくさん身につけ、贅沢に暮らしていました。これらの舞姫の１人の運命は、バレエ『ラ・バヤデール』で語られています。

古代ギリシャ人が神ディオニュソスに捧げられたお祭りで踊っています。伝説によれば、この神は踊りながら生まれました。

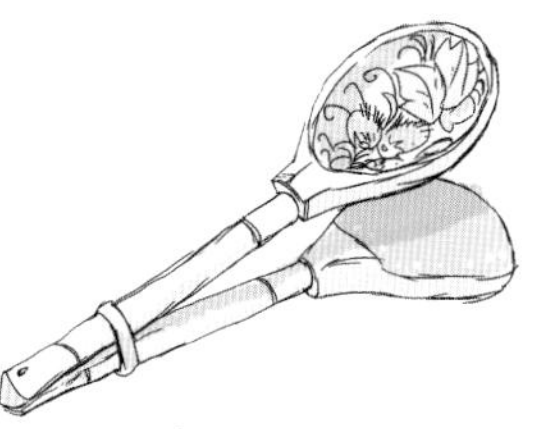
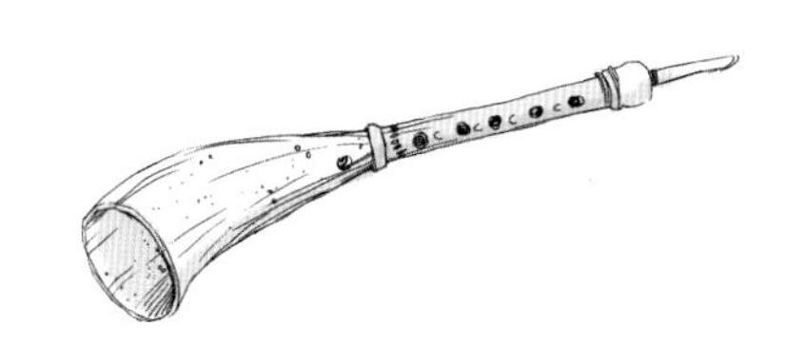

空から（蜂や鳥の視点から）見ると、輪の踊りの形は太陽に似ています。これは偶然ではありません。太陽は私たちの祖先の生活に重要な役割を果たしました。彼らは太陽に、暖かさと光を与えてくれるようにお祈りしました。

古代スラブ人は、他の民族に負けずに踊ることが好きでした。そして彼らは踊りながら歌うことも大好きだったので、「歌を歌う」ではなく「歌を歩く」または「歌を遊ぶ」というような言い方をしていました。大きな輪の踊りをする時には、簡単な楽器で演奏しました。それらはトレショトキ、ロジュキ、笛です。

輪の踊り

これは最も古代の民族舞踊です。
きっとあなたも友達と一緒にこの踊りを踊ったことがあるでしょう。ということは、あなたはすでにダンスを学び始めています。

ロシアの民族舞踊は小さな見世物のようでした。

踊り手は、種をまくとか、洗濯をするような動きをしたり、狩猟または戦いを表現したりしました。踊りがペアの場合は、人々は踊りからラブストーリーを感じ取りました。

踊りの競争

男性そして女性による踊りの競争。コーラスが笑わせる歌を歌っている時に、人々は出来るだけ長く踊り続けなければなりません。笑わせる歌に我慢が出来ず、最初に笑ってしまったらその人は負けです！

宮廷の
ダンス

実際のところ、この本のようなダンスに関する本を作ることは、これまでほとんどの時代で出来ませんでした。たとえば、中世ヨーロッパではダンスは下品であると見なされていました。その頃は非常に厳格なモラルがありました！しかし、次第に、人々は踊ることを懐かしく思うようになくなりました。舞踏会、宮廷バレエ、ダンス学校が出来ました。

花は種から育ちます。鳥は卵から生まれます。そして、バレエはおそらく、舞踏会から発達しました。

しばらくすると、貴族の人々は、自分が踊るだけでなく、才能のあるダンサーを見るのも素晴らしいことに気づきました。そうしてバレエが登場しました。最初の頃は、バレエは宮廷で、王とその側近たちのためだけに行われました。これらのことは、15 世紀と 16 世紀にイタリアとフランスで起こりました。宮廷のダンスに関する本を書いたイタリアの作家が、バレットという言葉を最初に使いました。

イギリスの貴族の人々も踊りたい気持ちがありましたが、彼らは平民のダンサーと一緒に舞台に上がることを恥ずかしく思い、仮面をかぶっていました。王子が誰で、平民が誰であるかは分かりませんでした。

貴族の人々は舞踏会で一般の人々とは違う動きをしたいと思いました。
彼らは多くのルールを作って、厳粛な立居振る舞いで儀式的な動きで踊りました。

馬のバレエ

フランスでは16世紀に馬のバレエが登場しました。もちろん、馬は片足で回転するようなことはしませんでした（それは面白いでしょうけれども！）。イラストのように、騎手が馬に乗って広場を動き回り、特定の形や模様を描きました。

王家の人たちも遅れをとりませんでした。たとえば、バレエの『キルケとニンフ』では、フランスの王妃カトリーヌ・ド・メディシスとその娘たちが海と川のニンフを演じました。

フランスでは、変わり者の王様、ルイ13世がいました。幼い頃から音楽とダンスが大好きで、大人になってから黒い鳥の狩猟について描いたバレエ作品『バレ・ドゥ・ラ・メルレゾン』を作りました。王様は音楽、動き、衣装を思いついただけでなく、自分自身が舞台に上がり、農民と女商人の2つの役を演じました。「どうやって？」と、あなたは驚くでしょう。「王様は舞台で女性も演じたの？！」そうだったのです。ルイ１３世の時代、女性は舞台に上がりませんでした。女性の役は男性俳優によって行われなければなりませんでした！

もう一人のフランス王、ルイ14世の愛称は「太陽王」でした。なぜだと思いますか？この王は本当の太陽のように輝いていたからでしょうか？もちろんそうではありません。それとも彼は家来たちにとても愛されていたからでしょうか？まあ、それは完全には真実ではありません。彼はバレエで役を演じることがとても好きでしたが、実は、『夜のバレエ』での「太陽」の役を演じたので、そのように呼ばれました。1661年には、彼は世界初の音楽とダンスのアカデミーを設立しました。彼の衣装はこのようなものでした。

優雅な
芸術

オペラとバレエの二つの芸術は、常に互いに深く関連していました。
たとえば、オペラでは、歌の間に、いくつかの短い時間のダンスを入れました。最初に歌手が歌い、次にダンサーがしばらくの間、舞台に上がりました。

17 世紀半ばまでは、バレエとオペラの公演は、貴族の宮殿または演劇の劇場で行われていました。

19 世紀の終わる頃までは、バレエはマイムで物語を表現していました。主人公が結婚したいことを示すために、ダンサーは指輪をつける薬指を指差しました。

そして、ダンサーが額に手のひらを乗せたら、それは彼が王様であることを意味しました。

彼は胸のところに腕を交差しました一彼は死にました！

最初のオペラとバレエ劇場は、あなたがすでに知っている独創的な「太陽王」によって作られました。この劇場は今のオペラ座に受け継がれています。これはフランスの首都にありますが、実際には、これまで何度も様々な場所に移されたことがあり、また作り直されました。

もちろん、左のページのマイムはあまり分かりやすくないです。鏡の前でこれらすべての動きを試してください。そのようなマイムで、友達に何かを説明するのは簡単ではないでしょう？そのため、イタリアのバレエマスター、サルヴァトーレ・ヴィガーノは、これらのマイムをなくすことを決めました！

『ラ・シルフィード』は、空気の妖精の悲しい運命のバレエです。シルフィードはジェームズという名の普通の若者に恋をし、彼を花嫁から引き離してしまいました。そして彼をもてあそび、飛んで逃げてしまいました。ジェームズは邪悪な魔女のところへ行き、魔女はシルフィードを捕まえるためにジェームズに魔法のスカーフを渡します。ジェームズがそれをシルフィードの肩に投げたところ、彼女の翼は地面に落ちました―彼女はもはや身を隠すことができません ... しかし、妖精は翼がないと飛ぶだけでなく、生きることも出来ない、ということをジェームズは知るのでした。

19 世紀には、バレエは素晴らしい時代を迎えていました。一つは、バレエは大変に人気がありました。二つ目はおとぎ話が頻繁に舞台で演じられていました。しかし、それらは子供たちが寝る前に読んでもらうようなものではなく、バレエのために特別に書かれたものでした。通常は悲しい結末でした。それらの中の主人公には 2 つのタイプがいました：普通の人々と、もう一つは魔法の生き物―妖精、人魚たちです。世界にどんな魔法の生き物がいるかあなた自身が知っているでしょう！

妖精の役を演じるバレリーナは、半透明の生地で作られた軽くて美しいドレスを着ていました。頭の上には王冠か、もしくは綺麗な花の冠が飾られていて、背中に翼が時おりはためいていました。そのような素晴らしい、不思議な物語がますます増えてきました。これらの物語はロマンティックと呼ばれ始めました。最も有名なロマンティックバレエは今でも劇場で上演されています！それらのバレエの名前は『ラ・シルフィード』と『ジゼル』です。

『ジゼル』は結婚式の前までに亡くなった花嫁の幽霊たちの物語です。彼女たちは毎晩、明るく透き通るような月明かりの下、墓地で踊ります。花嫁たちに罪がある男たちは、死んでしまった彼女たちが恋しくなり、しばしば夜の墓地に行きます。ところが、幽霊たちは彼らを容赦なく死ぬまで踊らせます！しかし、優しい少女のジゼルは死後も愛を守りました。彼女を死に至らせた恋人が現れたとき、彼女は彼を他の幽霊たちから守りました。

ロシアの

バレエ

なぜ海外に行ったロシアの商人や旅行者たちがバレエを好きになったのですか？

1. ダンサーはとても美しい衣装を着ています
2. ダンサーは話すよりも踊る方が多かったので、外国の言葉を理解する必要がありませんでした
3. そのようなダンスをこれまで自分の国で見たことがありませんでした

ヨーロッパを旅行したロシア人は、これまで見たこともないダンスを自分たちの国に持ち込みたいと思いました。最初はダンサーを単に巡業公演で招待しました。その後、ロシアの若者たちにバレエ芸術を教えるために、ヨーロッパの優れた技能を持つ人々を呼び寄せました。ロシアのダンサーはとても才能がありました。早くも 18 世紀、アンナ・イヴァノヴナ女帝のもとで、最初のバレエ学校が今のサンクトペテルブルクに開校しました。それは今でも存在し、ロシア・バレエ・アカデミーと呼ばれています。

どの答えをあなたは選びましたか？

3 つすべてが本当の事なので、1 つでも選べばあなたは正解です。

ロシアのバレリーナ アヴドチヤ・イストミナはとても素晴らしい女性だったので、アレクサンドル・プーシキン（訳注：ロシア文学の確立者であり、国民的大詩人）でさえ彼女に詩を捧げました。とても長いまつげと黒い瞳、スタイルが良い黒髪の女性…誰もが彼女に恋していました！

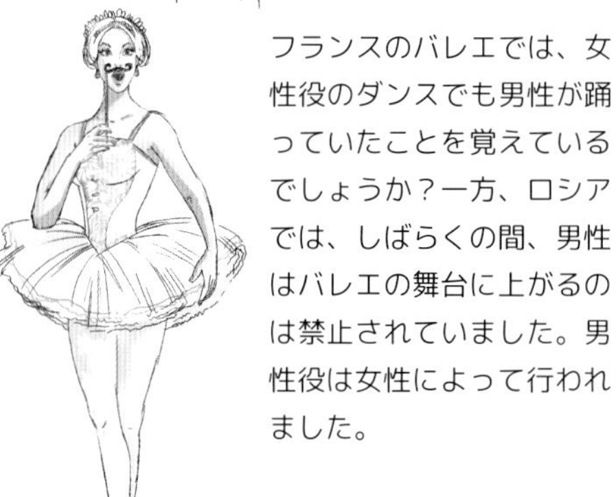

フランスのバレエでは、女性役のダンスでも男性が踊っていたことを覚えているでしょうか？一方、ロシアでは、しばらくの間、男性はバレエの舞台に上がるのは禁止されていました。男性役は女性によって行われました。

ロマン主義が流行したとき、『ラ・シルフィード』と『ジゼル』の上演が、サンクトペテルブルクとモスクワで始まりました。ロシアのバレリーナが巡業公演に出て、世界中で有名になりました！パリでは、皆がロシアの美人ダンサーである、アンドレヤノワとサンコフスカヤについての話でもちきりでした。

フランスのバレエマスター、マリウス・プティパは音楽とダンスのつながりについて考えました。彼は人生のほとんどをロシアで過ごしました。プティパはチャイコフスキーにバレエ音楽の創作を要請しました。彼の音楽を使ってから、プティパのバレエ作品は芸術の最高レベルに達しました。

もちろん、作曲家や振付家は、優れたバレエには才能のあるダンサーと適切な音楽だけがあれば十分ではないことを理解していました。バレエが素晴しいものになるには音楽とダンスが完璧に調和しなければなりません。

これは皇帝ニコライ２世です。彼は自分のボックス席から、彼が大好きなダンサーのマチルダ・クシェシンスカヤを劇場用双眼鏡で見ています。

作曲家はバレエのために特別に音楽を書きました。しかし、彼らは最初のうちは交響曲の作曲ほどには本気で書きませんでした。ただ単に振付家の注文通りに作りました。ロシアの偉大な作曲家の一人、ピョートル・チャイコフスキーはバレエについて新しい見方をしました。彼は最も有名なロシアのバレエ ―『白鳥の湖』、『眠れる森の美女』、『くるみ割り人形』のために驚くほど美しい音楽を作曲しました ... それは世界のバレエ芸術発展の突破口でした。

ダンス芸術の歴史における特別なページは、ディアギレフの「セゾン・リュス」です。20世紀初頭の偉大な芸術プロデューサー、セルゲイ・パブロビッチ・ディアギレフは、パリでいくつかのバレエ公演を行いました。これらの公演は何と素晴らしかったことでしょう！最高のダンサーたちがこれらの公演に関わりました ― ワツラフ・ニジンスキー、アンナ・パヴロワ、イダ・ルビンシュタイン ... すぐに彼らの名声はヨーロッパ中に広まり、ロシアのものなら何でも人気になりました。有名な振付家、美術家、作曲家がディアギレフのバレエの仕事に参加しました。彼らは体による表現、舞台装飾、音楽で様々な実験をしました。

20世紀はロシアにいくつかの大きな変化がありました。バレエも変わりました。ソビエト時代（訳注：1922年から1991年までのソビエト社会主義共和国連邦の時代）は、国と同じ名前のソビエトバレエと呼ばれていました。ダンサーの動きは変化し、当時大変に人気があった体操とスポーツの影響を受けました。衣装はよりオープンでシンプルに作られ始めました。劇場は人々の日常の生活を描くことを目指しました。

ロシアのバレエの歴史の中で、ガリーナ・ウラノワほど多くの賞を受賞した人はいません。世界中のバレエ専門家は、セルゲイ・プロコフィエフのバレエ『ロミオとジュリエット』におけるジュリエット役の彼女の演技を、これまで、バレエのお手本と考えています。

ウラノワのためにはいくつかのバレエが特別に作られましたが、同様にマイヤ・プリセツカヤのためにも、有名なカルメン組曲を含むいくつかのバレエが特別に上演されました。彼女が30年間に少なくとも800回踊ったバレエ、『白鳥の湖』は、このダンサーの人生に決定的な影響を与えました。プリセツカヤは、何回か、バレエマスターとして作品を上演しました。

今日の
バレエ

21 世紀のバレエは、大きく異なるスタイルとジャンルを組み合わせています。ダンスの気分を表現するために、現代のバレエダンサーは非古典的な動作法を使用しています。代表的な例は、プリマバレリーナのディアナ・ヴィシニョーワです。ある公演では、通常のバレエの床の代わりに鏡を使いました。ディアナの動きは宇宙人にように見えました。時々、どちらが本当のバレリーナなのか、それとも彼女が写った姿なのか分かりませんでした。

観客自身が主人公の物語を自分で想像することが出来ました。

現代のバレエで働くには、傑出した体力が必要です。したがって、バレエは芸術の世界におけるスポーツであると言えます。壊れそうに見える女性ダンサー、そして男性ダンサーは、一生を通じて 1 日に何時間も訓練します。彼らの訓練の仕方については 24～25 ページを読んでください。

バレエの衣装の歴史

1. イタリア、15 世紀

バレエが始まった当初のイタリアのダンサーたちは、宮廷で当時流行っていた服を着て舞台に上がりました。当時はバレエのための特別な衣装はまだ作られていませんでした。

2. フランス、16 世紀

バレエ用の衣装がフランスで作られ始めました。それらは豪華に、何重にも重なった布の層で作られていたので、重いので踊るのが難しいだけでなく、動くことすら困難でした！

3. フランス、18 世紀

ダンサーのために、衣装は宮廷の女性のものより少し短くて、軽く作られました。バレリーナもそのパートナーもヒールのある靴を履きました。

4. マリー・タリオーニ、19 世紀

バレエの衣装はダンサーのマリー・タリオーニのおかげで大きく変わりました。彼女は、ボリュームがある服を着て、ヒールのある靴で踊るのはとてもおかしなことだと主張し、そして重い舞台メイクとかつらでは踊りません、と宣言しました。次の日、彼女はトウシューズとチュチュで舞台に上がりました。

カツラは要らない！

18世紀まで、ダンサーは大きくてかさばる衣装にひどく悩まされていました。今は自由に動くことが出来るようになりました（ヴィガーノさんのおかげです！）。一度あなたも高いかつら、広いスカートでダンスをしてみてください。だんだんと衣装はより使いやすくなりました：スカートは軽く、短くなり、髪型は上品になり、靴はヒールがなくなりました。

5. メンズタイツ

フランスでは、男性用の肌色のタイツが発明されました。タイツの上でシャツとパンタロンを着ることが習慣になりました。

6. ロマン主義の時代

ロマン主義の時代に、バレリーナは半透明の生地で作られた、ふわふわするドレスを着始めました。それは白いバレエの時代でした（服の色からそう呼ばれています）。

当時の有名なバレエ『ラ・シルフィーダ』と『ジゼル』は今でも劇場で上演されています。

7. クラシックバレエ、20世紀

どんどんと衣装は変わってきて、今の時代と同じになりました：男性は１枚のタイツで踊るようになりました（最初、それは大きな物議を引き起こしました）、バレリーナのチュチュは最初の頃は膝までの長さでしたが、その後、イラストに描いてある通りになりました。

8. モダンバレエ

今日では、男性ダンサーはショートパンツやズボンで、バレリーナは普通のスカート、または男性用のタイツでさえ着て舞台に上がることが出来ます。ダンサーは練習着で聴衆の前に現れることが出来ます。

ルール
と技術

バレエは どのように 成り立っていますか？

バレエは複雑な料理です。たくさんの要素が入り、混乱しやすいので、分かりやすくするために、バレエのレシピを作ることにしました。

それでは、バレエを作るために、まず中にアイデアがいっぱい入っている鍋を持ちましょう。その鍋には、全く新しいストーリー、またはあなたが再現しようと決めた有名な作品のストーリーが入っています。この鍋には他の材料を加えます。

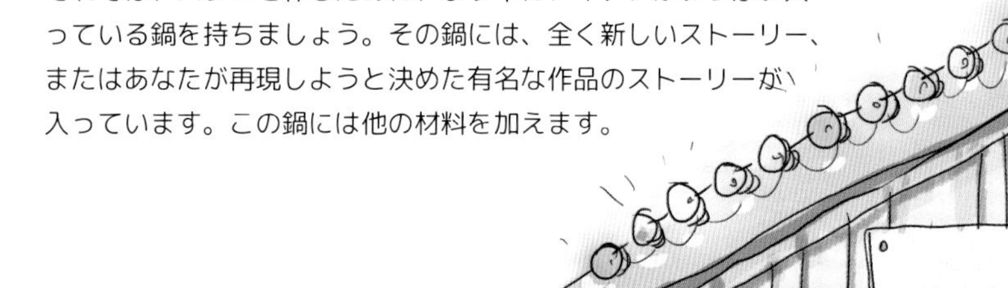

何かを自分自身の動きで表現しようと考えているときに、ダンスの「アイデア」が生まれます。たとえば、砂で体を洗っているスズメを見て。

- **台本**
  （バレエでは「リブレット」とも呼ばれます）。
- **音楽**
- **美術家の仕事**
- **ダンスの動き**
  （これによってバレエは物語を伝えます）。
- **観客の興味**

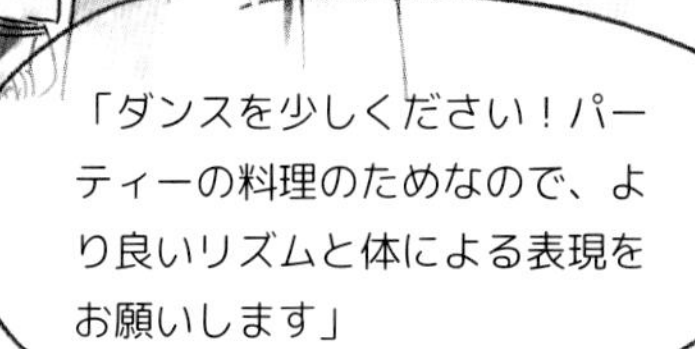

「スープ」がいくら長く沸騰したとしても、主な味はやはりダンスによって決まります。ダンスはどのようなものですか？ダンスは一つの芸術です。

お客さんの言う通りです：ダンサーの演技の質を判断する主な要素はリズムと体による表現です。リズムと体の表現に基づかない動きはダンスではありません！例えばジャンプ、または椅子の上で「もぞもぞ」してみてください。あなたはダンスが出来ましたか、出来なかったですか？もしダンスが出来たならば、それはリズムをとって動いたからです。

しかし、すずめのダンスを見せたり、自分のダンスを作ったり、発明したりできるすべての人が優れたバレエダンサーになるとは限りません。下記の資質を持っている人はうまくなれるでしょう：

力：ダンスの最も難しい要素を実行できるようにするものです

耐久力：長くて難しいトレーニングやリハーサルに耐えるものです

優雅さ：これにより、ダンスは非常に演技が簡単そうに見えます（実際には非常に難しいですが）

技能：新しい役に簡単に慣れることが出来ます

柔軟性：動きを正確にするものです

有名なダンサーが伝える教訓

マーサ・グレアム：

「偉大なダンサーは、技術によって偉大なのではありません、情熱によって偉大なのです。」

ウリアナ・ロパートキナ：

「大事なことは毎日のレッスンをやめないことです。朝のバーでの１時間半は、その日の仕事のための最も重要な時間です。レッスンに完全に疲れ果て、無気力になってしまい、すぐにすべてを止めてしまいたいと思うことがあるでしょう。逆に、すごくやる気が一杯の時もあるでしょう。ソファで休むことはバレリーナを助けません。」

フレッド・アステア：

「怒って床を足で叩きつけるよりも、タップダンスを学んだ方が良いです。」

ニコライ・ツィスカリーゼ：

「バレエダンサーにとって重要なことは音楽性だと思います。物理的な能力はその後のことです。バレエダンサーを目指す若者に音楽性がもしなければ、どのような場合でもバレエ学校に合格させてはいけません。もしそうしなければ、大変な困難が待ち受けてしまいます。」

イサドラ・ダンカン：

「ダンサーの体はまさに魂の輝きの現れです。」

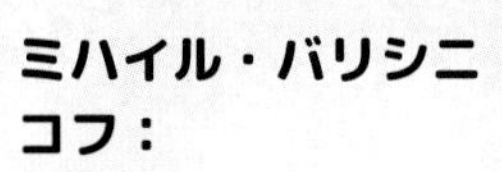

ミハイル・バリシニコフ：

「私は誰よりも上手に踊ろうとはしていません。私は自分より上手に踊ろうとしています。」

イルゼ・リエパ：

「体は教育されなければなりません。これは、テーブルでフォークとナイフを正しいマナーで使う能力と同じです。教育には大変な労働が伴います ... 教育を受けた体は何でも出来ます。」

ダンスの種類

バレエはとにかく物語です。悲しい話、楽しい話、またはそれら両方が少しずつ混ざったものです。ストーリーによってダンサーの数が変わります。ダンサーの数によってダンスの種類が区別されます。

ソロ

ソロダンスはダンサーが完全に一人で踊ります。「ソロ」はイタリア語から来ています。ソロダンスが一番難しいです。バレエダンサーは誰でもソリストになる夢をもっていますが、最高に優秀な人だけがそれを達成出来ます。

バレエのソロダンスはバリエーションとも呼ばれます。なぜなら、それぞれのダンサー自身が、主人公のイメージの独自の解釈を作りだすからです。それぞれのバレリーナはまったく異なる見方で同じ主人公を見ています。たとえば、カルメンは下のイラストのように、バレリーナによって異なります。

デュエット

ペアとも呼ばれます。ダンサーが二人で踊ります。多くの場合、彼らは愛や戦いを演じます。

アンサンブル

このダンスは数人（2人以上）で踊られます。ソリストや他のダンサーも参加出来ます。アンサンブルと呼ぶのは、音楽アンサンブルが舞台に現れるからではなく、ダンサーが一緒に動くからです。フランス語では「一緒に」は「アンサンブル」と言います。

群舞

群舞が行われるときは、ほとんどの人がバレエ舞台に入ります。このようなシーンは、群集の中や舞踏会で主人公を目立たせるために必要です。群舞は通常、主人公の感情と調和していて、その感情を強調します。

群舞は**コールドバレエ**が踊ります。彼らはソリストではありません。劇場にはこのような人々が多くいます。「コールドバレエ」という言葉をフランス語で文字通りに通訳すると「バレエの体」になります。体がなければ頭が生きることが出来ないのと同じように、ほとんどのバレエは、コールドバレエなしには存在できないでしょう。けれども、コールドバレエでは多くの場合、複雑なパ（ステップ、ダンスの要素）を実行しません。

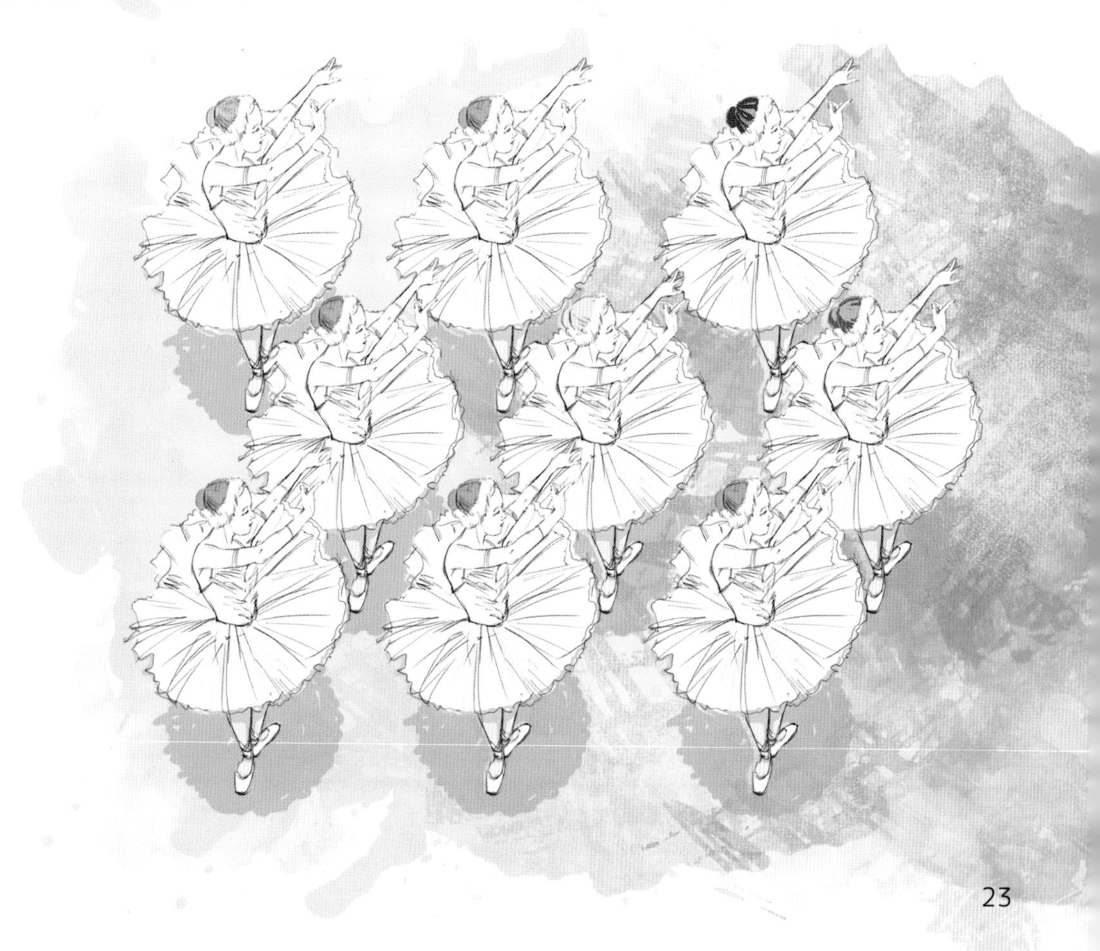

リハーサル

舞台に入る前に、どのダンサーもたくさんの練習をします。最も経験豊富なダンサーでさえ、１日数時間のリハーサルを行います。彼がずっと以前から、自分のダンスの役を完全に覚えていたとしても、たとえ彼がスターであっても、これは「身体を保つ」ために必要です。プロのバレエダンサーになるということは、あなたが今日舞台に上がるかどうかに関係なく、毎日バレエとともに生きることです。

ウォームアップ

トレーニング

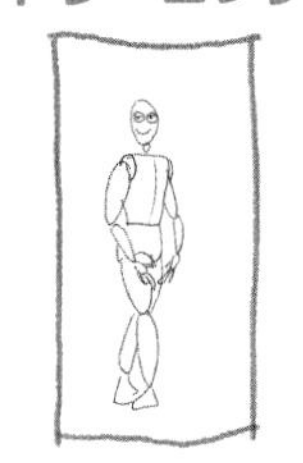

リハーサル

練習はウォームアップ、トレーニング、リハーサルで構成されています。(批評家はバレエについて話す際に、このようなスポーツ用語を使用しないことを勧めますが、この本では分かりやすくするため、それらを使用します）

難しいダンスに備えて体を整えるには、**ウォームアップ**が必要です。**トレーニング**中、ダンサーは個々の位置とステップ（パ）を学び、繰り返します。そして、**リハーサル**では、特定の役の準備をしています

公演のリハーサルでは、ダンサーは通常、舞台に出る時と似た形の衣装を着ます。これは、動きを正しく覚えるために必要です。なぜなら、身に着けているものは私たちの動きに影響を与えるからです。

リハーサル室は次のようなものです。

- 完璧に平らで滑りにくい床
- 家具はありません
- ダンサーが自分の動きを見ることができるように、通常、１つの壁には、一面全てに鏡が貼られています

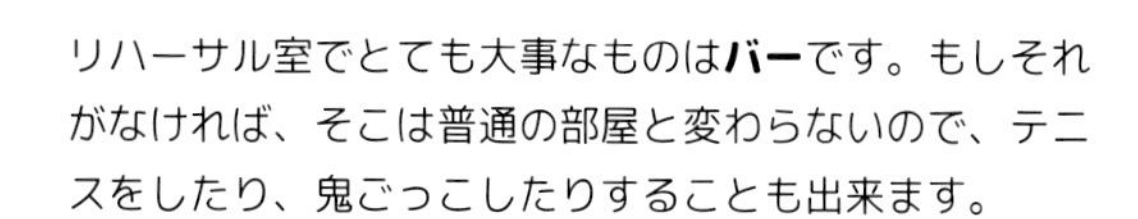

リハーサル室でとても大事なものは**バー**です。もしそれがなければ、そこは普通の部屋と変わらないので、テニスをしたり、鬼ごっこしたりすることも出来ます。

バーは、壁に据え付けられた手すりで、階段の手すりとよく似ています。ダンサーは、練習を行うときにそれを使います。

毎日の練習では、バレエダンサーは舞台用の衣装を着ません。通常は動きやすく快適な服を着ます：Tシャツまたはレオタード、タイツまたはストッキングです。ストレッチ中に脚や腕を痛めないように、それらの服は暖かく保つ必要があります。このため、ダンサーはレッグウォーマーを着用しています。

プロのバレエダンサーも必ずバーで練習します。バレエで踊るには、強さと持久力が必要です。さらに非常に良いストレッチが必要です！『ガッタパーチャボーイ』（訳注：ロシアの作家グリゴロヴィチによる曲芸少年の物語）の物語の主人公のように、男性ダンサー、そして女性ダンサーも、驚くべき柔軟性を備え、必ずスプリッツで座れなければなりません。

バレエのABC

基本のポジション

足のポジション

第1ポジション：
両足は完全に外側に開かれています。両足は両方のかかとが触れていて、一直線になります。

第2ポジション：
両足はやはり一直線上にありますが、かかとが離れています。一つの足の長さ分の間隔が両足の間に開いています。

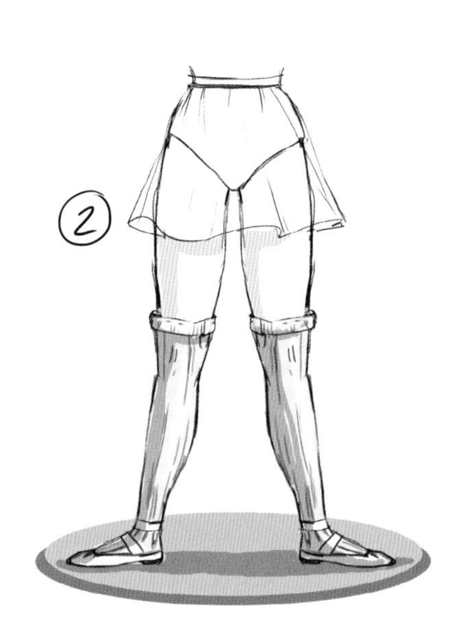

手のポジション

準備のポジション：
手は滑らかに下げられ、肘はわずかに曲がっているため、手は垂らすのではなく楕円形になります。

両方の手の指は、互いに向きあっています。

第1ポジション：
腕を楕円形にして腹部の高さまで上げます。

女の子と男の子がバレエ学校に来るとき、まず彼らはバレエのポジションを学びます。百年前、そして二百年前と変わりません。ポジションは、ダンスを始める際の腕と足の基本的な姿勢です。私たちは分かりやすくするため、腕と足の基本的なポジションを描きました。それらは番号で区別されます。あなたは独力で、それらのいくつかのポジションを取ることが出来るかも知れません！

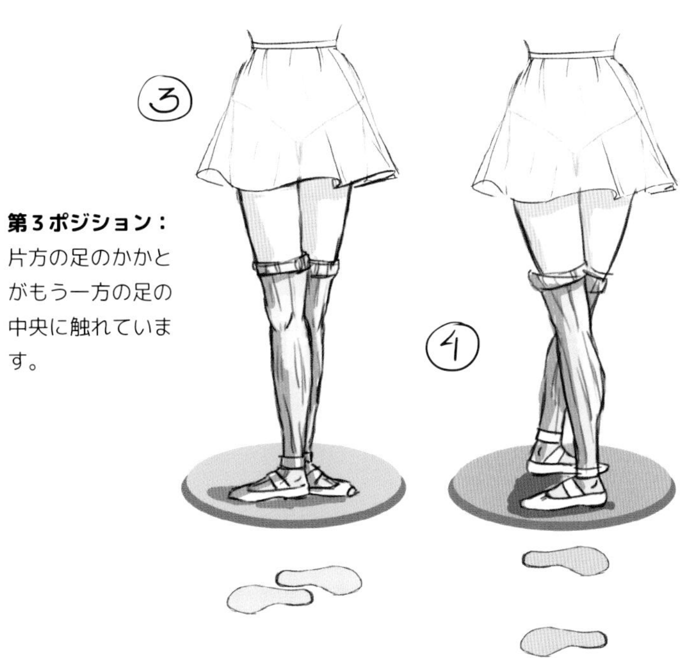

第 3 ポジション：
片方の足のかかとがもう一方の足の中央に触れています。

第 4 ポジション：
足は平行です。しかし向きが異なります。片方の足のつま先の位置に、もう一方の足のかかとがあります。大体一つの足の長さの間隔が両足の間にあります。

第 5 ポジション：
第 4 ポジションと似ています。しかし足がぴったりついていて、片方の足のかかとがもう一方の足のつま先に触れています。

第 2 ポジション：
翼のように、腕は肩の高さで両サイドになめらかに広がり、肘は後ろを向きます。

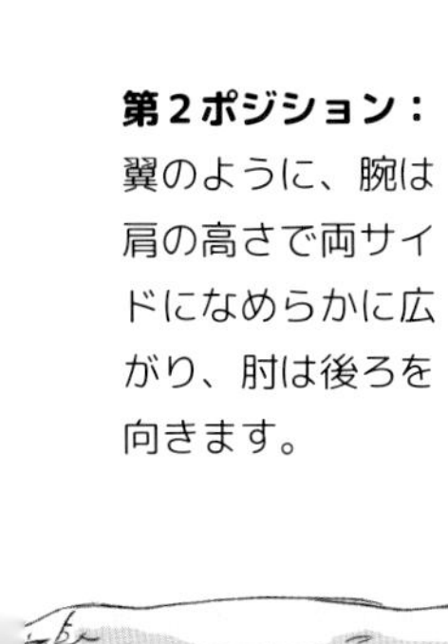

第 3 ポジション：
第 1 ポジションの形の腕を頭の上に上げます。

ダンスの
フランス語

クラシックダンスの言葉は歴史的にフランス語になりました。
バレリーナは皆、パの名前を知っているので、日本のバレリーナはロシアのバレリーナを完全に理解し、ロシア人はアメリカ人と、そしてスペイン人は中国人と会話することができるでしょう。

バレエに関する主なフランス語の言葉の１つは、もちろん**パ**です。あなたにバレエの言葉を少し学んでもらうために、主なパについて説明します。すべてのフランス語の単語と同様に、各単語のアクセントは最後の音節にあることに注意が必要です。

モザイクは小さなガラスで構成されています。パッチワークキルトは布の切れ端で作られています。そしてダンスはパから構成されます。パ（pas）はフランス語に由来します。

フェッテ

バレエにおける最も有名で、見事な（つまり、一番難しい）動きです。片方の足はつま先で立ち、反対の足は膝のところで曲がっています。このポーズで身体を回します。回った時に曲がった膝が一回まっすぐになり、またすぐ元のポーズに戻ります。一部のクラシックバレエでは、メインのダンサーは30回以上のフェッテを続けて行います。男性ダンサーまたは女性ダンサーは、ハンドミキサーの泡立て棒でクリームを泡立てるように回転しています。フランス語の「フェッテ」という言葉は、「泡立てる」という意味です。

ジュテ

フランス語では「投げる」という意味です。足先を立ったまま、またはジャンプして前に出します。ジャンプするときに反対の足を後ろに出す場合もあります。ここで大事なことは足を前に出すことです。

プリエ

フランス語でプリエは「曲げる」をいう意味です。要するに、プリエは片足または両足の膝を曲げることです。200年の間、変わらず、すべてのバレエ学校でレッスンが始まるのはこのポーズからです。

ピルエット

もう一つの有名な動きです（旋回とも呼ばれます）。片脚を軸にして回転します。フェッテとは異なり、必ずしも定位置で実行されるとは限りません。

あなたはすでにパという単語を知っています。これから、あなたがバレエの話をする時、バレエの本当のプロのように、あなたは必ず「ああ、なんと難しいパだ！」と言うでしょう。そしてさらに良い言い方としては一「ああ、なんと上手なパですね！」と言います。時々パという言葉がダンスの名前に含まれていることがあります。たとえば、「パ·ド·ドゥ」、「パ·ド·トロワ」、「パ·ド・カトル」などのダンスがあります。どういう意味ですか？ — とあなたは聞くでしょう。パは短くてわかりやすい言葉だったのに ... 心配しないでください、これらのダンスの名前は非常に簡単に翻訳出来ます！

パ・ド・トロアは「三人のダンス」です。フランス語で「トロア」は「3」を意味します。このダンスはパ・ド・ドゥに似ていて、ダンサーが1人だけ追加されます。

パ・ド・カトルは、もう簡単に分るでしょう。「四人のダンス」です（フランス語では「カトル」は「4」です)。ダンサーはまず一緒に踊り、次にソロダンスに進み、その後また一緒になります。

パ・ド・ドゥは「二人で踊る」という意味です。カップルは舞台に上がり、最初にアダージョを一緒に踊ります（男性のサポートのついたゆっくりしたテンポのデュエット)。次にそれぞれがソロで踊り、その後ダンスの最後の部分（「コーダ」と呼ばれています）で再び一緒に踊ります。

レヴェランス

この優雅なお辞儀は終演の際の挨拶の時に、女性が膝を曲げて行います。劇場では、挨拶の間、観客が拍手し、舞台で花が手渡されると、バレリーナは優雅なお辞儀をします。

ダンスにおける

記録

最も多くの回数のフェッテ（1つの場所での回転）はバレエ『白鳥の湖』で行われます。**32回続けます**。それでもさらに、**バレリーナのデリア・グレイ**はトレーニングの1つで166回フェッテを行いました！それは1991年で、彼女はすぐにギネスブック登録されました。それ以来、誰も彼女の記録を破ることができません。

日本の大野愛地（おおのあいち）は全く反対の動きをしました：**彼は頭を床につけて、さかさまになって回転しました。**2010年、彼はこのヘッドスピンを**135回連続**で行いました。**もちろん、これはバレエではありませんが、印象的でもあります。**

空中で足が数回交差する垂直上方への高いジャンプは、**アントルシャ**と呼ばれます。1973年、**ダンサーのウェイン・スリップ**がこのジャンプを行い、0.71秒間空中に残りました。

彼はまた、グランジュテのチャンピオンにもなりました。ダンサーはまさに空中でスプリッツしました。スリップは2分間に**グランジュテで158回ジャンプしました。**それは1988年、イギリスでのことです。

劇場の
内側

見えない

人々

劇場でバレエを観ていると、舞台に立つのはダンサーだけなので、ダンサーだけが仕事をしているように見えるかもしれません。**実際には、バレエの公演は、観客には見えない多くの人々の仕事の結果なのです。**

彼らはお互いに見えないことがよくあります。1人が音楽を書き、もう1人が台本を書き、同時に彼らは互いに会うことはなく、生きていた時代が異なる場合さえあります。しかし、私たちはバレエを勉強しているので、バレエに関係している人のすべてを知らなければなりません。では、実際にバレエを作っているのは誰ですか？

リブレティスト（別名**台本作家**、または演劇作家）。通常、バレエは、リブレット、つまり映画や演劇で使うような台本を書く作家の仕事から始まります。リブレットは、ダンサーが舞台で演じなければならない物語です。

しかし、あなたはすでにバレエでは舞台上のダンサーが話さないことを知っています…

それでは、バレエの台本は彼にとってどのようなものですか？リブレットは、登場人物がどのように見えるか、どこにいるか、何をしているのかが書いてあります。そして最も重要なことは、登場人物が何を感じているかが書かれています。

他の台本と同様に、リブレットはエピソード、つまり、主人公が出会うさまざまな状況によって分けられています。

ダンサーのための美しい衣装や舞台セットは、美術家によって作られます。どんなに手のこんだ衣装でも、踊るのに快適でなければなりません。また舞台セットは観客の注意をそらしたり、ダンサーの邪魔にならないようにする必要があります。20 世紀には、パヴロ・ピカソ、アンリ・マティス、マルク・シャガール、レフ・バクストなどの有名美術家がバレエ公演の準備に参加しました。

舞台や幕をデザインする美術家は**舞台美術家**と呼ばれます。

衣装デザイナーが劇の役の衣装を描きます。劇場の建物内にある衣装工房にスケッチ画を渡します。そこで衣装職人はパターンを作り、生地を選び、そして最後に衣装を縫います。それらは一つの公演で数十、さらには数百になることもあります！

劇の当日……重要な専門家がさらに加わり、舞台裏は賑やかです。**:**

- **メイクアップ係**はダンサーの顔に舞台化粧（メイクアップ）をします。
- **衣装係**はバレリーナの体形の変化に合わせて、時々ドレスを着たまま縫い直す必要があります。
- **照明係**は舞台の「昼」と「夜」を変える人です。
- 多くの**舞台係**が景色を再配置し、幕の開閉を行い、舞台装飾において、どんな仕事も行います。

イラストの中でこれらのすべてを見つけてください！

クラシックバレエにおける

舞台衣装

これはバレリーナのクラシックなイメージです：トウシューズ、風通しの良いドレス、羽の頭飾り。もちろん、衣装は他の色でもかまいません一黒、赤、どんな色でも！しかし、大変に人気があるロマンティックなバレエ（例えば『白鳥の湖』）のおかげで、優しくて明るい色が他の色よりもバレリーナのイメージとして、多くの人々の記憶により残りました。

羽の頭飾り

衣装デザイナーは、特にバレエ『白鳥の湖』のために羽の頭飾りを作り出しました。しかしバレリーナの頭飾りは、どんなものでも使うことが出来ます。たとえばダイアデムのように。

バレエのパーチュカ(チュチュ)

ロシア語のパーチュカは束のことで、色々なものを意味します。ココアがたくさん入ったパーチュカ、鉛筆がたくさん入ったパーチュカ、そしてバレエのパーチュカ（チュチュ）です。これはバレエダンサーが着る多層のスカートの名前です。このスカートは 10 層、もしくはそれ以上のチュールが重ねられたことから、このように名付けられました。フランス人はこれにチュチュという面白い名前を付けました。

一部のチュチュは鐘の形に見え、他のチュチュはパンケーキのように見えます。アメリカのバレリーナのチュチュはパウダーパフに似ています。時にはチュチュは羽や宝石で飾られています。石がパートナーのスーツに絡んだり、引っかいたりしないように、外側は半透明のチュールで覆われています。

トウシューズ

これはクラシックバレエダンサーが履く靴です。指先で立たなければいけないので簡単ではありませんが、とても美しいです。

クラシックダンスにおいては、男性ダンサーは女性のバレリーナに劣らないほどの数がいます。そしてその中には素晴らしいダンサーがいます。彼らを「バレリーナ」と呼びたい気持ちになる人もいますが、この言葉は彼らには使われていません。観客席から見ると、男性バレエダンサーは時おり、完全に裸で踊っているように見える場合があります。でも実はそうではありません。実際には、肌色のレオタード、体にぴったりしたコンビネゾンやダンスベルトを着用しています。

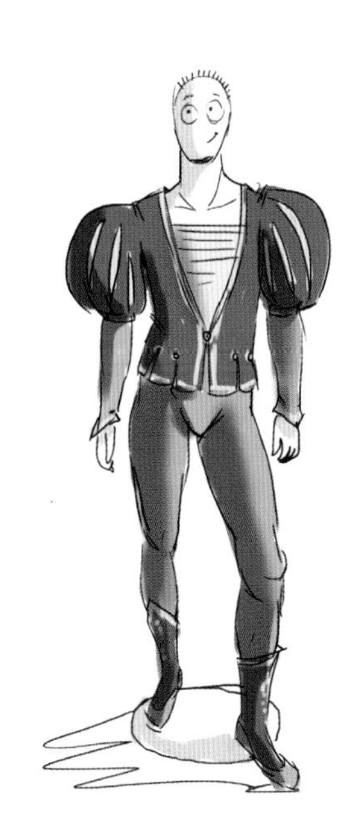

マネキン

各バレエダンサ　には複製、つまりダンサー本人の姿を完全に再現しているマネキンがあります。衣装係は、縫製の際に間違いをしないようにマネキンが必要です。

レオタード

全身にフィットする極薄生地のもの。

ダンスベルト

特別にぴったりした幅広いゴムベルトの下着。

男性はバレエシューズをよく着用します

バレエ衣装はどのようなものであるべきでしょうか？

衣装の製作には、伸縮性があり、軽くて通気性の良い素材を使用します。衣装は、ダンサーの体を綺麗に見せるために、ダンサーの体の形にぴったりしていなければなりません。そのために、正確なサイズで作ります。そしてもちろん、衣装はバレエ作品のムードを伝えて、ストーリーに合わなければなりません。たとえば、厳粛なバレエ『海賊』では、ダンサーがレオタード、シャツ、胴衣、帽子、かつらなどを身に着け、さらにひげをつけるなどして特別なオシャレをしています。

音符

通りに

作曲家

きっとあなたはこれが音楽を作る人の名前であることを知っています。13ページのピョートル・チャイコフスキーを覚えていますか？

演奏者

指揮者やオーケストラの演奏者がいなければもちろん、音楽はありません！彼らは上演中には劇場にいるため、「見えない人」ではありません。演奏者は明るい舞台衣装ではなく、燕尾服や黒い服などの最も厳格な服を着て演奏します。上演中の彼らの場所は、観客席と舞台の間にあるオーケストラピットの中です。もしあなたが１階平面観覧席に座っていると、オーケストラはまったく見えません。バイオリンとビオラの弓の先端が時々見えるだけです。ボックス席とバルコニーからは、いくつかの楽器、指揮者の手と後頭部が見えます。彼の前には、楽譜付きの明るい譜面台があります。

バレエの指揮者は見えない存在です。彼は演奏のすべての時間で観客に背を向けています（ダンサーは決してそのようなことはしません！）。しかし、彼の役割は非常に重要なので、しばしば公演の最後に彼はソリストとともに挨拶のために舞台に上がります。彼の仕事がなければ、オーケストラとダンサーは調和がとれずにバラバラになってしまうでしょう。実際のところ、ダンサーは、フェッテで回転しながら、演奏者を見ることが出来ないのですから！演奏者もまた楽器で忙しく、ダンサーと目を合わす時間がありません … そのために指揮者が必要です。彼は舞台の上と演奏者の間で何が起こっているかを見ています。彼はどのような音の抑揚で演奏するか、いつどの楽器に入るかを命じます … 演奏者と音を立てずにコミュニケーションをとるために、指揮者は彼が音楽学校と音楽大学で教えられた特別な動きを使います。

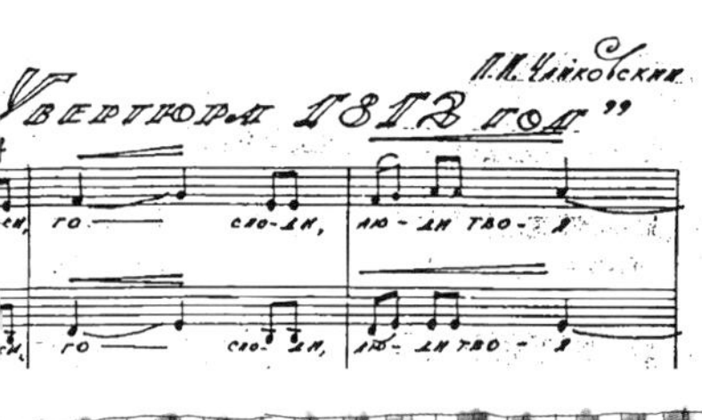

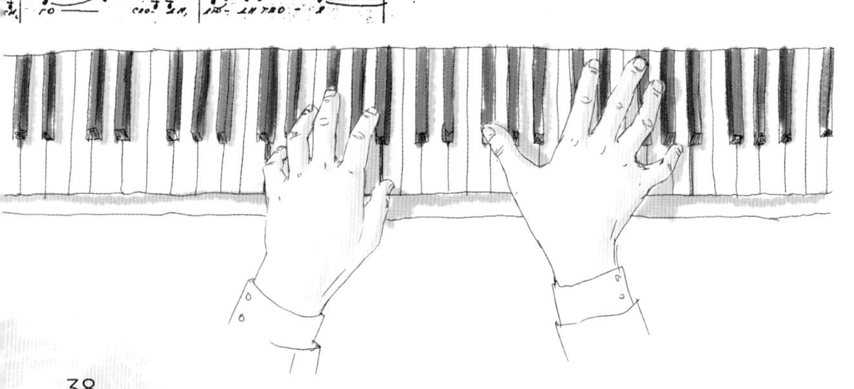

指揮棒は魔法の棒です。この魔法の力により、音楽と舞台の演技が一体になります。

バレエでは通常、交響楽団（楽器の数が最も多い）が演奏します。
それに含まれている楽器は、このページに書いてあります。

序曲

演奏者の姿は目立たなくても、バレエは彼らの演奏から始まります。三回目の開演チャイムの後、すべての観客がすでに着席し、ホールのライトが消えると、幕がまだ開く前に音楽が始まります。これはバレエ公演の前奏であり、序曲（フランス語では「開ける」という意味です）と呼ばれています。

1. バイオリン。 1番と2番があります。オーケストラで一番数が多いです。

2. ビオラ。 バイオリンより大きくて、音は低いです。

3. チェロ。 バイオリンとビオラのお兄さんにあたる楽器です。

4. コントラバス。 オーケストラには欠かせない大きな楽器で、最も低い音を出します。

5. フルート。 優しい気持ちの音楽を表現します。通常のものに加えて、最も高い音を出すピッコロと、低い音を出すアルトフルートがあります。

6. オーボエ。 フルートのお兄さんです。最も大きいものはイングリッシュホルンと呼ばれます。

7. クラリネット。 フルートやオーボエのように見えますが、先端がフレアスカートのように広がっています。

8. バスーン。 低い音、笑うような音、そして鼻声のような音を出すことが出来ます。

9. トランペット。 胴体とボタンが銅の色で輝いています。

10. ホルン。 トランペットはこの楽器の仲間ですが細いです。一方、この楽器は丸くなっています。

11. トロンボーン。 通常、オーケストラに3台あります。

12. チューバ。 オーケストラの仲間で一番お腹が大きくて、たまにしか音を出すことはありません。

13. ハープ。 古代ギリシャの竪琴を受け継いだ美しい楽器です。

14. ドラム。 とどろきを鳴らすのが上手です！

バレエマスター

バレエマスターはバレエの制作にとって非常に重要ですから「バレエ」という言葉が彼の職業そのものに入っています。もちろん、他の人々もバレエ公演に多くの役割を果たしていますが、バレエ公演の作者はバレエマスターと考えられています。バレエマスターの仕事は、他の人が行ったすべてのこと（作曲家、美術家、脚本家など）をまとめる、すなわち異なる「いくつかの作品」から「1つの作品」にすることです。

- どのダンサーが誰を演じるかを決定します。
- しばしば自分で模範を示して、ダンサーにどのように踊るか、また演じるかを示します。
- 舞台美術家、衣装デザイナーと一緒に上演する作品の舞台装飾や衣装を考えます。
- ダンサーの動きが作品の意図を確実に伝えるようにします。ダンサーは自分の役割を覚えるだけでなく、バレエマスターと一緒に色々な踊り方の実験を行い、適切な演技の方法を探します。
- ダンサーと一緒にダンスを作ります。それらのダンスを舞台装飾に、もしくは専門用語で言うと、舞台空間に合わせて作ります。
- バレエマスターは困難を恐れません。

バレエ芸術は美しいダンスを示すだけでなく、物語の内容の意味、アイデアを伝えるために作られていると伝えました。優れたバレエには、振付、つまり構成の芸術とダンスの演出を知っている人が必要です。だから、バレエマスターは元々バレエダンサーでした。20 世紀には、演劇劇場の芸術監督もロシアでのバレエの創作に関わっていました。しかし、それは例外でした。

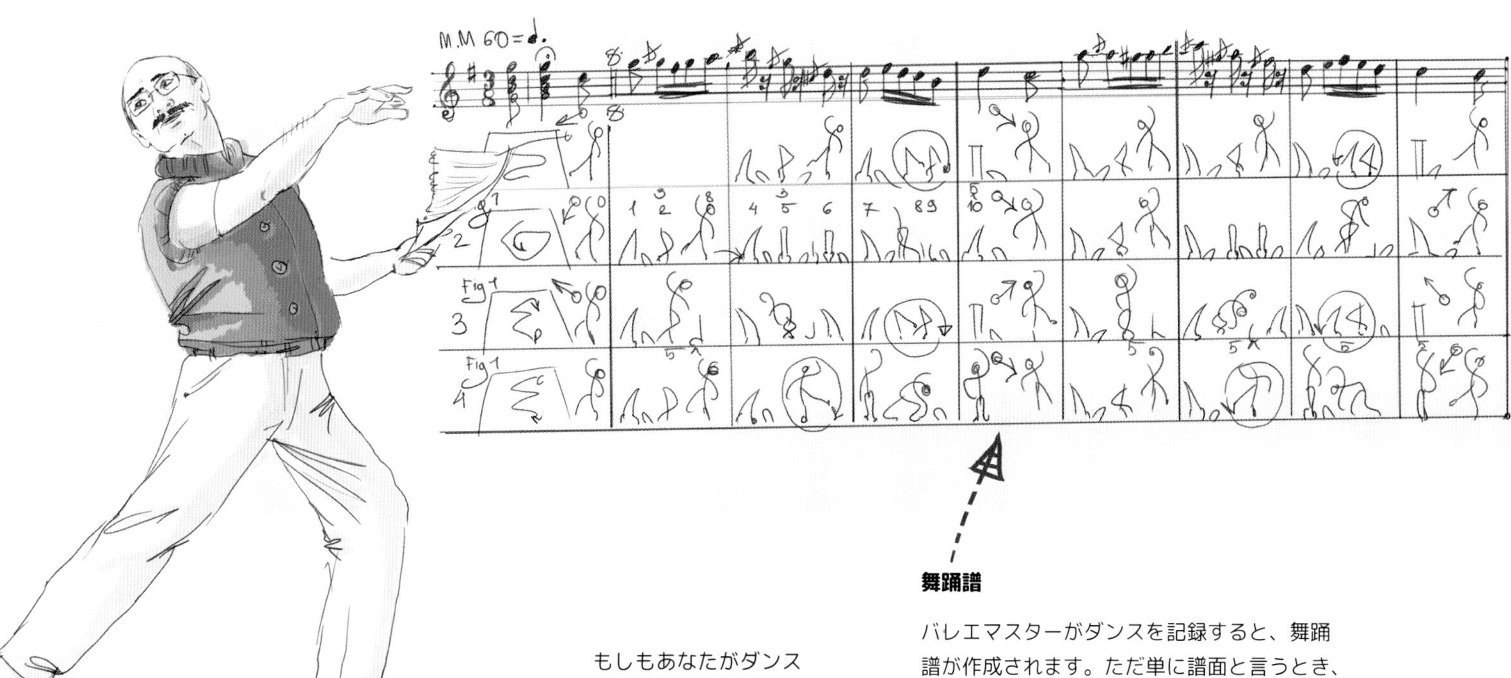

振付

あなたはすでに「振付」という言葉に何度か出くわしたに違いありません。この古代ギリシャ語は「輪の踊り」という言葉に関連していて、「輪の踊りの記録法」と翻訳出来ます。みなさんは民族舞踊についての話を覚えていますか？今の時代は、色々なダンスを創作し、演出する芸術は、振付と呼ばれています。バレエマスター、または振付家と呼ばれる人がこの仕事を行なっています。

もしもあなたがダンスを習おうと決めたならば、「振付」という言葉に再び出会います。あなたが最初に入る教室は、バレエ教室ではなく、おそらく振付教室（訳注：ロシアにおける子供たちへのバレエの基礎教育を行う教室）と呼ばれるところでしょう。ここでの養成を終えた後は、バレエに限らず、あらゆるダンスの勉強を続けることができます。

舞踊譜

バレエマスターがダンスを記録すると、舞踊譜が作成されます。ただ単に譜面と言うとき、それは楽譜のことです。たとえば、オーケストラの演奏者は目の前に楽譜があるため、失敗せずに演奏出来ます。

舞踊譜は、ダンスの記録です。動きを記録するのは、音を記録するよりもはるかに困難です。したがって、バレエマスターにとっての統一されたダンス記録ルールは今でもありません。誰もが独自のスタイルを持っています。ある人は矢印で動きを示し、ある人は小さな人の姿を描きます ... あなたがバレエダンスの舞踊譜を想像できるように、上のイラストは舞踊譜の見本を示しています。

劇場はどのように

作られているか

ダンサーは子供の頃から観客に注目をされるのが大好きです。 そして、観客もダンサーが大好きです。何しろ観客はチケットを買うために行列をし、観劇のためにイブニングドレスを着るのですから … もしバレエにために特別の作られた建物、バレエ劇場がなければ、バレエの公演の制作者とお客さんとが会うことは出来ないでしょう。

あなたが行く劇場のほとんどは、このようなホールのように見えるでしょう。今度は、舞台からホールを見ることを想像してください。**舞台の側からは劇場の内部を良く見ることが出来ます。**

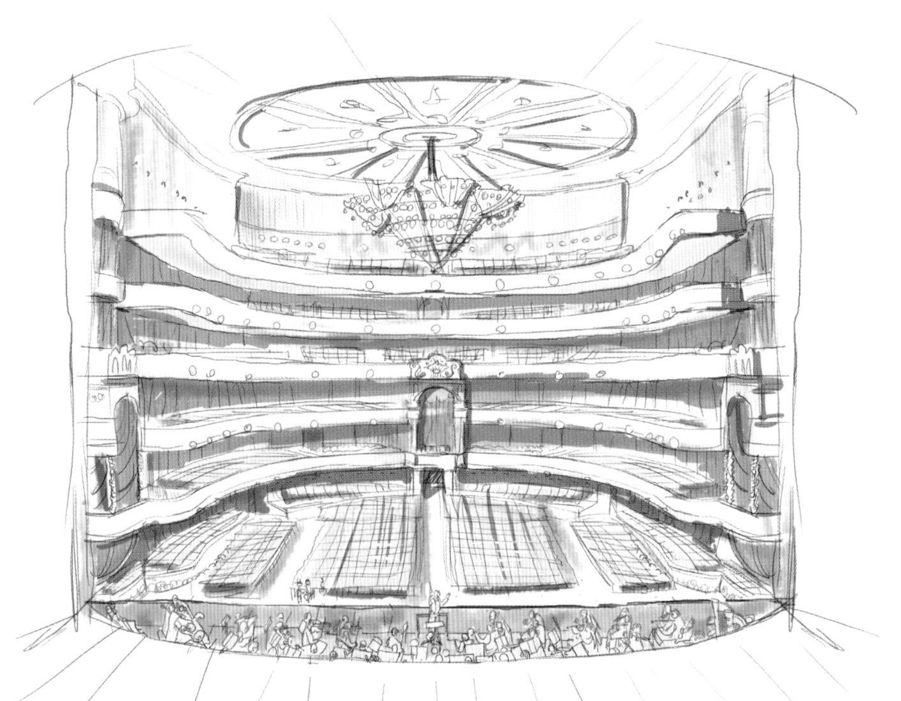

あなたの目の前、観客席先頭のさらに前に**オーケストラピット**があります（39 ページの図を思い出してください）。高い柵によってホールから隔てられています。休憩時間中に、あなたは前の方に行ってピットの中を見てください。演奏者が座っている場所、そして楽器を見ることが出来ます。

劇場の最も広々とした部分は**パルテール**（１階平面観覧席）です。それはまさに舞台に一番近い観客席です。

パルテールの後ろには**アンフィテアトル**（１階ひな壇式半円形観覧席）があります。（劇場によってはないこともあります）。その列は傾斜がついているので、前に座っている観客は後ろに座っている人の眺めを妨げません。

ベニョアール（１階バルコニー席）は、まるでパルテールを囲んでいるかのように小さなバルコニーです。これは片方の舞台から始まり、ホールの反対側の舞台で終わります。

ベリエタージュ（２階バルコニー席）は、パルテールとベニョアールの真上にあります。これは劇場のバルコニーの最初の階です。ここは本当に美しいところで、舞台が見やすくて綺麗に見えます。

ベリエタージュの上にあるバルコニーは**ギャラリー**と呼ばれます。階が高いほど、番号は「高く」なります。つまり、１階の上には２階と３階があります。

クラシックバレエでは、**機械**が重要な役割を果たします。これは、舞台セットをすばやく移動できる技術です。また、機械的な仕掛けを使って、ダンサーは舞台上で空中を舞うことがあります。

公演が休憩（インターミッション）している間に、**観劇席**のライトが点灯されます。席を離れて歩き回ったり、ビュッフェに行ったりすることが出来ます。インターミッションでは、あなたは一息つき、プログラムを読み、あなたの仲間と公演について話し合うことが出来ます。

観劇席と同じくらいの複雑さで、舞台が設置されています。私たちは席に座って、劇の制作者が私たちに見せてくれた部分だけを見ています。バレエマスターと舞台美術家は、袖幕（舞台の両方の端に下がっている幕）の幅をどのくらいにするか、また舞台をどのくらい奥まで観客が見るかを決めます。

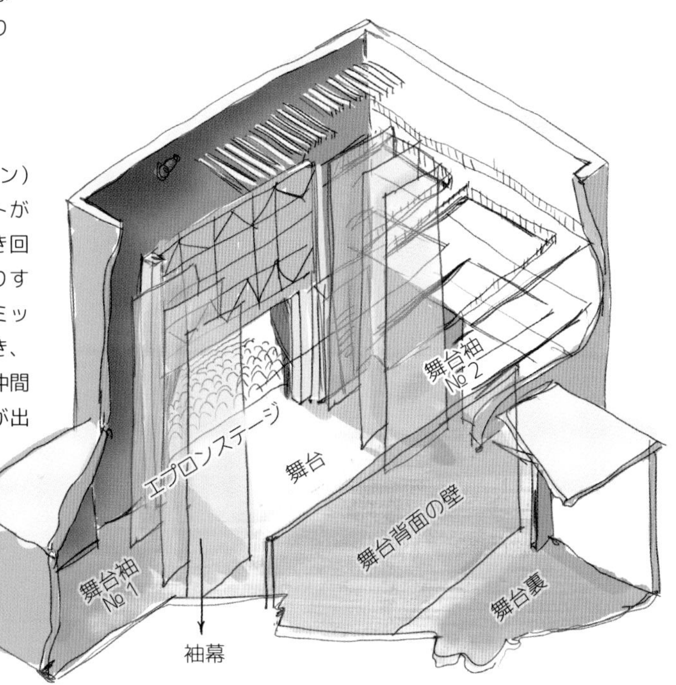

舞台の両脇にあって、**袖幕**のさらに奥の、観客には見えない部屋は、**舞台袖**と呼ばれています。

舞台裏もあります。舞台の後ろにあり、**舞台背面の壁で**隔てられています。ここでは、上演中に舞台セットを保管し、必要な時に素早く舞台に持ち込みます。

舞台の先端は、オーケストラピットと１階平面観覧席に向かって少し前方に突き出ており、**エプロンステージ**と呼ばれています。これは、公演の後にダンサーが挨拶をする場所です。

劇場には、舞台とホール以外に何がありますか？

劇場の建物は複雑なシステムであり、劇場のすべての場所が、それぞれの機能を果たしています。すべての部屋は２つの種類に分類されます。観客向けの部屋と、ダンサーや劇場で働いている人々のための部屋です。右側のどの部屋が誰のためのものかを考えてみてください！

小道具室

楽屋

ホワイエ

ビュッフェ

クローク

チケット売り場

有名な

劇場

あなたはバレエを見るためにどこへ行きますか？あなたはすでに少し専門家なので、どこに行くかを自分で選ぶことが出来ます。世界そしてロシアで、どのクラシックバレエ劇場が最も優れているかを紹介します。

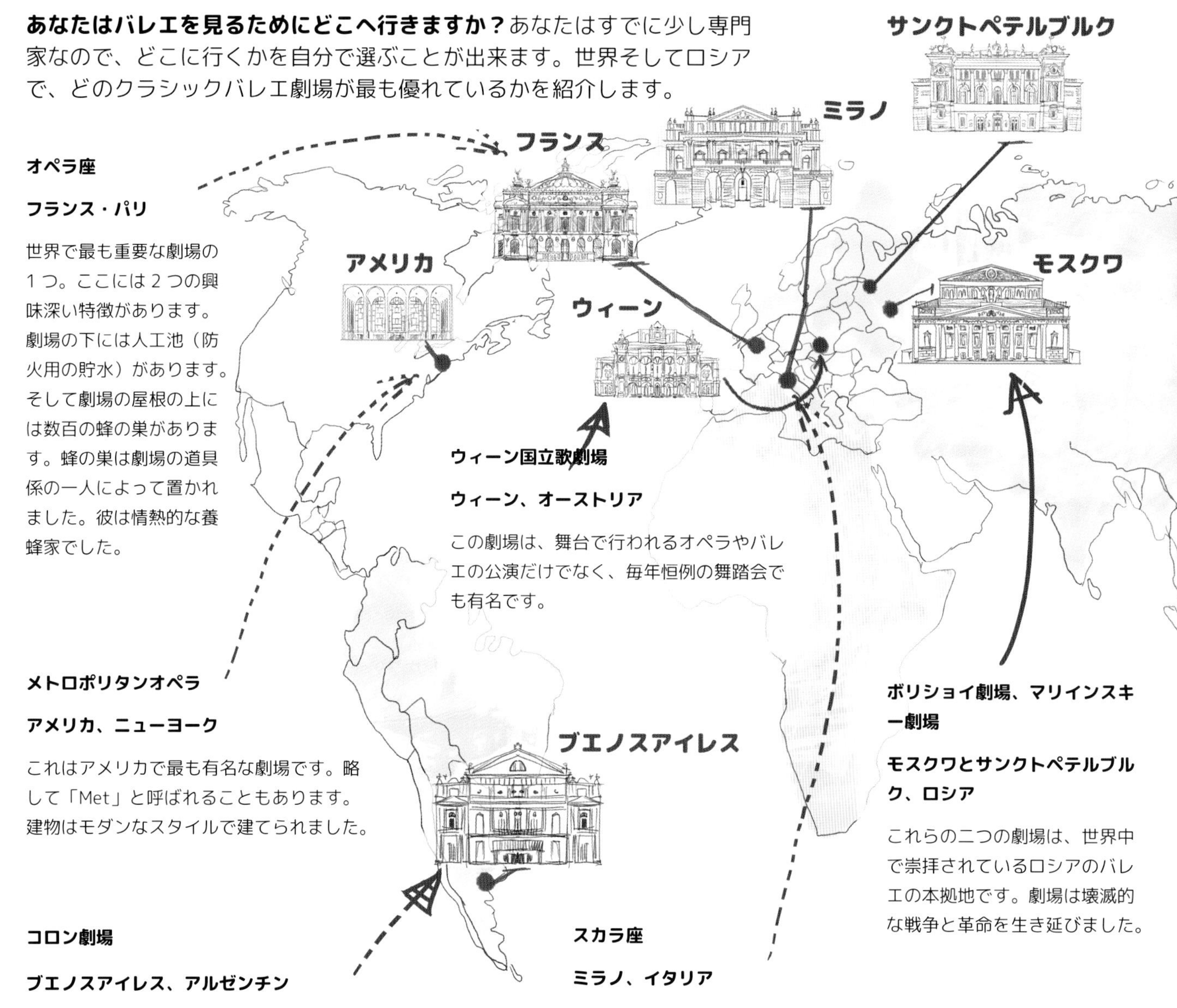

オペラ座

フランス・パリ

世界で最も重要な劇場の1つ。ここには2つの興味深い特徴があります。劇場の下には人工池（防火用の貯水）があります。そして劇場の屋根の上には数百の蜂の巣があります。蜂の巣は劇場の道具係の一人によって置かれました。彼は情熱的な養蜂家でした。

ウィーン国立歌劇場

ウィーン、オーストリア

この劇場は、舞台で行われるオペラやバレエの公演だけでなく、毎年恒例の舞踏会でも有名です。

メトロポリタンオペラ

アメリカ、ニューヨーク

これはアメリカで最も有名な劇場です。略して「Met」と呼ばれることもあります。建物はモダンなスタイルで建てられました。

ボリショイ劇場、マリインスキー劇場

モスクワとサンクトペテルブルク、ロシア

これらの二つの劇場は、世界中で崇拝されているロシアのバレエの本拠地です。劇場は壊滅的な戦争と革命を生き延びました。

コロン劇場

ブエノスアイレス、アルゼンチン

この劇場は、アメリカの発見者クリストファー・コロンブス（コロン）にちなんで名付けられました。女性が紳士と同じ部屋に座るのは下品だと考えられていたため、当初、劇場には女性用の観客席がありました。

スカラ座

ミラノ、イタリア

ヴェルディやベッリーニなどの偉大な作曲家によるオペラの初演が行われたため、ここはまずオペラ公演で有名になりました。ここでのバレエ公演も非常に成功しています。

バレエ公演においてのマナー。あなたが海外旅行に行くのか、それともモスクワ、サンクトペテルブルクのバレエ劇場に行くのか、それを決めるのはあなたです。大事なことは、フランス語がダンサーを結びつけているように、全世界の観客の間に共通する観劇のエチケットを守ることです。劇場に来たら、世界で最も模範的な観客としての役を演じてください。これを行う方法は次のとおりです。

あなたの服はカジュアルよりもエレガントでなければなりません。劇場によってはイブニングドレスとスーツが必要とされることもありますが、普通の清楚な服で大丈夫なところもあります。(行く前に調べてください)。クロークにコートを預けます。このために、少し早めに到着する必要があります。

誰かがあなたの列の席にすでに座っている場合、あなたが自分の席への通路を通り過ぎるときは、座っている人の方を向いて、邪魔したことを謝らなければなりません。あなたが席に座っている時に誰かが通る際は、立った方が通りやすくなります。(劇場の椅子は折りたたまれて、スペースが少し広がります)。

上演の開始の案内は、ベルで知らされます。3番目、つまり最後のベルの前までに観客席に入って自分の席に座らければなりません。

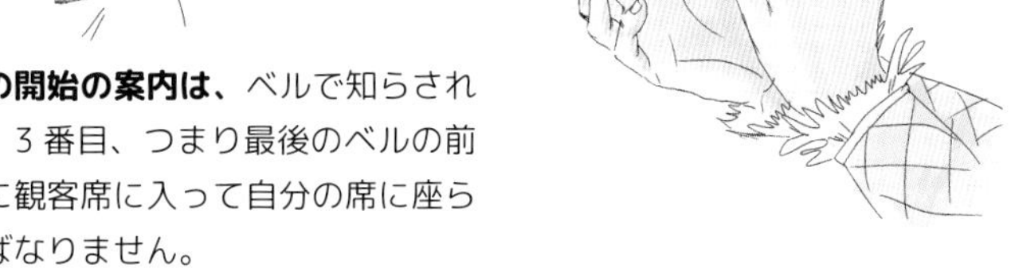

拍手 — ダンサーへの感謝の表現。最後に、ダンサーが挨拶するときに拍手するのはマナーです。

ホールに入ったら、必ず携帯電話とタブレットの電源を切ってください。

振動が聞こえる場合もあるので振動モードにしないでください。明るい画面も後ろに座っている観客の邪魔になります。

上演中は、話したり、ささやいたり、がさつく音を出さないで、**静かにしてください。**

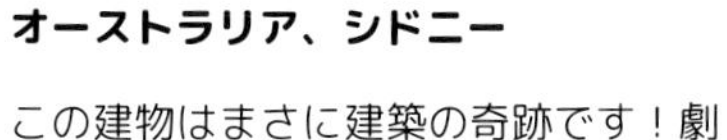

オーストラリア、シドニー

この建物はまさに建築の奇跡です！劇場の構造は、すべての観客が最高の席のチケットを購入したかのように感じさせます。

演技が終了してバレエダンサーが挨拶を終えるまでは、クロークに急いではいけません。

演劇プログラム

誰がバレエのための音楽を書きましたか？誰がバレエを作りましたか？誰がバレエを踊りますか？これらの質問に対する答えは、劇場のホワイエで購入できる公演に関する小さな冊子にあります。プログラムの中には通常、リブレットが入っています。

ダンサーという
進路

あなたがバレエダンサーになることを考えているなら、急いでください！ 始めるのは早いほど良いでしょう。まず、振付教室に入る必要があります。あなたはもう５歳になりましたか？もしそうならあなたは入れます。

ロシアで最も有名なバレエアカデミーは、サンクトペテルブルクのロシア・バレエ・アカデミー（現在はアグリッピナ・ヤコヴレヴナ・ワガノワにちなんで名付けられています）とモスクワ・バレエ・アカデミーです。

ダンスの練習では、子供たちはウォームアップを行い、柔軟性を高め、バレエのポジションと最初のパを学びます。ここで彼らは初めてバーで練習を始めます。

バレエアカデミーは９歳から 10 歳までの女の子と男の子で、柔軟な体を持ち、二つの足が完全に逆方向に向けることが出来る子供を受け入れます。このことは、彼らは 180 度以上開いたスプリッツやジュテのジャンプができるようになることを意味します ... そこで学ぶことは難しさがありますが、しかし、夢があれば困難は恐くありません。

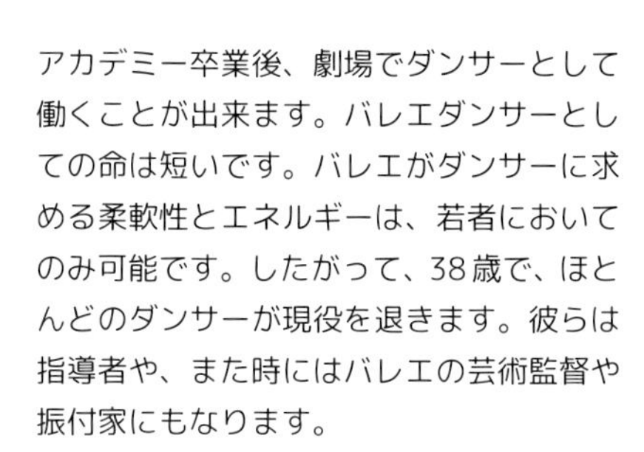

バレエは、美しさと強さ、精神と肉体の素晴らしい組み合わせです。何百万もの女の子と男の子がバレエの世界の一部になることを夢見ています。もしかして、今、これはあなたの夢ですか？もしそうなら、私たちはあなたを信じています！頑張ってください！

アカデミー卒業後、劇場でダンサーとして働くことが出来ます。バレエダンサーとしての命は短いです。バレエがダンサーに求める柔軟性とエネルギーは、若者においてのみ可能です。したがって、38 歳で、ほとんどのダンサーが現役を退きます。彼らは指導者や、また時にはバレエの芸術監督や振付家にもなります。

クイズ

あなたは本を全部読み終えましたね、素晴らしいことです！または、少なくともページをすべてめくりました。あなたはどのくらい一生懸命読みましたか？クイズの質問に答えて結果を知ってください。

1. **最も古い民族舞踊は何ですか？**
   （答えは 7 ページです）

2. **主人公が幽霊の花嫁なのはどのクラシックバレエですか？**
   （11 ページで答えを探してください）

3. **『くるみ割り人形』の音楽は誰が作りましたか？**
   （13 ページで答えを探してください）

4. **多くの人数で踊るダンサーのグループの名前は何ですか？**
   （23 ページで答えを探してください）

5. **バレエ学校でのレッスンは通常、何の動きから始まりますか？**
   （29 ページで答えを探してください）

6. **リブレットの別名は何ですか？**
   （34 ページで答えを探してください）

7. **バレエの上演中にはオーケストラはどこにいますか？**
   （42 ページで答えを見つけてください）

8. **蜂の巣が屋根の上にある劇場は、世界のどの都市にありますか？**
   （44 ページで答えを見つけてください）

バレエ

その限りない可能性

あなたの道しるべ

制作　マン、イワノフとフェルベル社

編集長　　アリョーナ・ヤイツカヤ
編集担当　ユリア・ペトロパブロフスカヤ
テキスト　ポリーナ・マコーヴァ
アートディレクター　エリザヴェータ・クラスノーヴァ
イラスト画　アナスタシア・バティシェヴァ
デザイン・レイアウト　タチアナ・シルニコーヴァ
校正　　マリア・シャフランスカヤ

日本語翻訳　柴田洋二　イリーナ・ミロノワ

バレエ　その限りない可能性

2024年6月24日　初版第1刷発行

制　作 ―― マン、イワノフとフェルベル社

日本語翻訳 ― 柴田 洋二　イリーナ・ミロノワ

発行者 ―― 唐澤 明義

発行所 ―― 株式会社 展望社
〒112-0002 東京都文京区小石川3丁目1番7号 エコービル202号
TEL 03-3814-1997　Fax 03-3814-3063

印刷・製本 ― 株式会社 東京印書館

展望社ウェブサイト　http://tembo-books.jp/

ISBN978-4-88546-445-4

＊落丁本・乱丁本はお取替えいたします。
＊定価はカバーに表示してあります。